Fioled y Mynydd
Mountain Pansy
Viola lutea

Y Gylchedd o Ben Rhiw Saint

CYNEFIN GRUFF

Gruff Ellis

Lluniau planhigion a thirwedd: Derek Hughes
Lluniau adar: Ted Breeze Jones

Grug Ffridd, Dylasau Isaf

Argraffiad cyntaf: Hydref 2008

Rhif rhyngwladol: 978-1-84527-194-7

Mae'r cyhoeddwr yn cydnabod cefnogaeth ariannol
Cyngor Llyfrau Cymru

Cynllun clawr: Sian Parri

Cyhoeddwyd gan
Wasg Carreg Gwalch,
12 Iard yr Orsaf, Llanrwst, Conwy, LL26 0EH.
Ffôn: 01492 642031 Ffacs: 01492 641502
e-bost: llyfrau@carreg-gwalch.co.uk
lle ar y we: www.carreg-gwalch.co.uk

Argraffwyd a chyhoeddwyd yng Nghymru.

i Anwen

Lili felen y dŵr (*Nuphar lutea/Yellow water lilly*) ***ar Lyn Serw***

Cwtiad aur

Mwsog ar wyneb Carreg y Ddefod

Tegeiriannau

Cynnwys

CYDNABYDDIAETH

Dymuna'r awdur a'r wasg gydnabod eu dyled enfawr i Derek Hughes, Cwm Eidda am gael dewis a dethol o'i gasgliad ardderchog o luniau lleol a lluniau llystyfiant.
Mae Derek yn naturiaethwr ei hun, yn arbenigwr ar flodau a llysiau. Bu'n ecolegydd maes i'r Ymddiriedolaeth Genedlaethol ac mae'n uchel iawn ei barch ymysg ffermwyr Stad Sbyty Ifan.
Diolch hefyd i Anwen Breeze Jones am gael defnyddio rhai o luniau adar y diweddar Ted Breeze Jones.

Cyflwyniad

Mae gwreiddiau Gruff Ellis yn ddwfn iawn yn ei filltir sgwâr. Mae'n ddyn sydd wedi dod i adnabod ei gynefin drwy gerdded pob modfedd ohono o gopaon y Migneint i lawr i Bentrefoelas a thu hwnt. Dwi wedi cael y fraint o fynd i grwydro yng nghwmni Gruff lawer gwaith a bob tro, bydda i'n rhyfeddu at ei wybodaeth fanwl o bopeth ac am bawb.

Mae'n adnabod pob chwilen, pob blodyn, pob anifail a phob aderyn sydd erioed wedi troedio'r ardal hynod yma o ogledd Cymru a bydd ei lais awdurdodol yn disgrifio nid yn unig y bywyd gwyllt a'r tirlun o'n cwmpas ond hefyd y chwedlau a'r cymeriadau sy'n gysylltiedig â'r fro. Hyn i gyd wedi ei wasgu rhwng penillion di-ri ac ambell i gân; wedi'r cyfan, roedd Gruff yn aelod blaenllaw o Gôr Meibion Llangwm am flynyddoedd lawer!

Mae darllen *Cynefin Gruff* bron cystal â bod allan gyda'r dyn ei hun. Drwy gyd-weithrediad gyda'r ffotograffydd gwych, Derek Hughes o Gwm Eidda, mae'r wybodaeth a'r brwdfrydedd yn llifo ar y tudalennau hyn – fel y maen nhw'n llifo yn gyson yn ei ysgrifau misol ar fyd natur yn y papur bro, *Yr Odyn*, a'i gyfraniadau i'r *Naturiaethwr* ac ar Galwad Cynnar, Radio Cymru.

Dal ati, Gruff, diolch am y cwmni, a gobeithio bod llawer mwy o lyfrau i ddod yn y dyfodol.

Iolo Williams
Sir Drefaldwyn, Medi 2008

Nyth y Gylfinir

Rhagair

Dyma gyflwyno fy ail gyfrol am fyd fy nghynefin.

Y gyntaf oedd *Dyddiadur Natur Gruff Ellis, Yma Mae Nghalon*, un mlynedd ar ddeg yn ôl adeg Eisteddfod Genedlaethol y Bala.

Sôn am fy nghynefin rwyf yn hon, sef ardal eang Ysbyty Ifan, sy'n cynnwys y Migneint, Cwm Gylchedd, Cwm Serw a Chwm Eidda, gan gynnwys fy nghrwydradau a'm sylwadau o gwmpas yr ardal hyfryd hon sydd mor agos at fy nghalon. Erthyglau o'r papur bro *Yr Odyn* yw'r rhan fwyaf o'r rhain. Sefydlwyd *Yr Odyn* yn y flwyddyn 1975 ac rwyf wedi cyfrannu erthygl ar fyd natur o'r dechrau bron siŵr gen i, ac wedi cael pleser o grwydro a chanfod trysorau fy nghynefin.

Mae'r tri chwm yn fannau arbennig iawn i mi yn enwedig Cwm Eidda a'i weirgloddiau cyfoethog, a rhannau uchaf y cwm, sef Blaen Eidda Uchaf, Dŵr Gwyn ac afon Hafnant a'i tharddiad ym mawnog mynydd y Graig. Symudodd y teulu oddi yno yn 1933, blwyddyn cyn fy ngeni, ond yno yr af i'n ôl sawl gwaith bob blwyddyn i synfyfyrio a chwilio ac weithiau ganfod.

Ac eto mae Cwm y Gylchedd yn fy hudo'n aml, a tharo drosodd i'r Arennig a Chwm Celyn. Wedyn mae Cwm Serw a'i lyn a'i lili felen yn fy nhynnu yno'n aml iawn i gael y tawelwch a'r llonyddwch yn ei unigedd heddychlon. Felly, fe welwch fy mod yn dal i grwydro yma ac acw ar hyd fy nghynefin i geisio a chael gwefr o hyd. Fel y dywed Gruffydd Jones, Bryn Eglwys (Abergeirw):

Yn rhydd tros foelydd heb sŵn trafaelio
Yn wir ddedwydd fe af dan freuddwydio;
Myned lle'r wy'n dymuno yw fy mraint
A haint na henaint ni theimlaf yno!

Gruff Ellis, Medi 2008

Blaen Eidda Ucha

Carreg Adnod

1.

Ffriddoedd a Gweirdiroedd

Cychwyn am dro fore Gŵyl San Steffan a 'mhac ar fy nghefn a brechdan neu ddwy, ac wedi cerdded dros Ben Rhiw Saint, cyrraedd Blaen Eidda Uchaf a throi i'r chwith am Beudy Canol a Beudy Pellaf i chwilio am yr hen ffynnon. Olion llygod dŵr hwyrach yn y brwyn wedi cnoi y frwynen a gadael y canol neu'r gwynnin ar ôl yn sypiau bach gwynion. Mae hyn yn digwydd yn aml yr adeg yma. Gwelais amryw o'r sypiau gwynion yma ar lan afon Conwy y tu isa i Lyn Conwy yn y merddwr.

Troi'n ôl ac i mewn i dŷ Blaen Eidda Uchaf ac eistedd wrth y bwrdd i gael paned a brechdan a dechrau sgwennu hyn o lith. Syllu allan drwy'r ffenest a chudyll coch yn disgyn ar y fedwen yn yr ardd y tu draw i afon Eidda fechan, a hel meddyliau!

Tŷ tair llofft a chegin a pharlwr a bwtri; grât a phopty a boilar i ddal dŵr poeth. Gratiau yn y llofftydd a'r parlwr. Syllu allan drwy ffenest ddiwydr y gegin a meddwl sut fath o ginio 'Dolig a gawsai'r hen deulu dri chwarter canrif yn ôl. Dim twrci'n saff ond gŵydd fwy na thebyg a llysiau wedi eu codi o'r ardd. Roedd dwy ardd yno 'rochr draw i'r afon, a thân mawn i dwymo'r popty. Roedd yna wastad gig y mylltyn (oen gwryw teirblwydd) wedi'i halltu a'i hongian o'r nenfwd fel cig moch i'w ddefnyddio fel bo'r angen – cig blasus ryfeddol. Ychydig iawn o lo a ddefnyddid. Mawn oedd y tanwydd yn gyfangwbl.

Tanwydd yr hen bentanau – a chlydwch
Aelwydydd ein teidiau;
O'i gylch bu'r nyddau a'r gwau
A naws yr hen hwyr nosau!

J.W.J.

Mae'n fwy na thebyg fod stôf oel yma hefyd yn gymorth at y coginio, a phwdin plaen cartre a saws gwyn o laeth y fuwch neu'r afr hwyrach, a lamp baraffin i oleuo'r nosweithiau tywyll; go brin eu bod mor gyntefig â defnyddio'r gannwyll frwyn, er bod hynny'n bosib hefyd dri chwarter canrif yn ôl.

O babwyr y gwnâi'r hen bobl – gannwyll
I gynnau yn siriol;
Yn ein hangen presennol
I ddu nos, a ddaw hi'n ôl?

Gwrmyn y Ddôl
Meadow Brown
Maniola jurtina

Adain Garpiog
Comma
Polygonia c-album

Iâr Fach y Glaw
Ringlet
Aphantopus hyperantus

Iâr Fach Dramor
Painted Lady *Cynthia cardui*

Iâr Fach Amryliw
Tortoiseshell *Aglais urticae*

Boneddiges y Wig
Orange Tip
Anthocharis cardamines

Iâr Fach y Glaw
Ringlet *Aphantopus hyperantus*

Mae'r gannwyll yn ddefnyddiol hyd heddiw pan â'r trydan ar goll!

Go brin y caent ffesant mae'n siŵr, gan iddynt gael digon o'r rheini am fod cipar yn y teulu – a dau neu dri potsiar hefyd – ac erbyn Nadolig roedd tymor y grugieir drosodd. Roedd byw'n arafach i fyny yma yn ucheldir Cwm Eidda.

Ael y drum, ucheldir iach – y llwm baich
  Lle mae byw'n arafach.

Deffro'r bore i gochdar y grugieir a phan fyddai'r niwl yn drwchus byddent yn un rhes ar do'r beudy neu'r hen dŷ a'r gath yn dod ac ambell un i'r tŷ. Roedd honno'n botsiar hefyd. Ar y twyllnos neu'r bore bach gwrando ar

'Yr afr yn yr awyr
Yn brefu am ei myn;'

chwedl R. Williams Parry yn ei gerdd 'Cyffes y Bardd'. Rwyf bron yn siŵr mai sôn am y gïach neu'r sneipen mae o. Pan gwyd hon yn uchel i'r nen, mae'n gollwng ei hun i lawr ar ddwy bluen fechan ym môn ei chynffon fel propelor yn gwneud y sŵn tebyg i'r afr yn brefu. 'Gafr y gors' yw enw arall ar y sneipen. Mae rhyw ddwy awr wedi pasio fel y gwynt a gallwn fyw yma'n hawdd! Mae yna goedlan yng nghefn y tŷ a llarwydd mawr hynafol yn llawn o flodau porffor yn y gwanwyn. Mae'n fan arbennig iawn i mi ac mae'n bechod ei weld yn araf adfeilio. Ond bai'r Ymddiriedolaeth Genedlaethol yw hynny! Maent i fod i warchod 'mannau hanesyddol arbennig a phrydferthwch naturiol'. Un fantais yw ei fod yn lle tawel unig ac mae'r wennol yn nythu yn y gegin a'r ddylluan yn atic y llofft!

Hudolus oedd ei ddelwedd – hen aelwyd
    Wylaidd yr unigrwydd;
        J.W.J.

Cerdded i'w gwaith oedd hanes yr hen deulu a cherdded i'r capel (dair gwaith) a cherdded i'r ysgol yn y Llan gaeaf a'r haf ar bob tywydd a dod yn ôl yn syth neu'n wlyb i ddiddosrwydd yr hen dŷ a'r tân mawn. Rhaid i minnau symud. Mae'r dydd yn fyr ac rwyf am gychwyn am Dŵr Gwyn

Un o weirgloddiau blodeuog Tŷ Ucha Eidda

Tegeirian Llydanwyrdd
Greater Butterfly-orchid
Platanthera chlorantha

Tegeirian Brych y Waun
Heath Spotted-orchid
Dactylorhiza ericetorum

Tegeirian y Gors
Northern Marsh-orchid
Dactylorhiza purpurella

Gwlyddyn Mair y Gors
Bog Pimpernel
Anagallis tenella

a chorlan Hafnant ac anelu am darddiad afonydd Eidda a Hafnant ac wedyn am Lyn Brain Gwynion i 'wylio beth a welaf'. Yna i lawr heibio Gwely'r Lleidr i Ffridd Llech a galw heibio'r Garreg Orchest â'r dyddiad 1869 wedi ei naddu arni hi.

Does dim llawer i'w weld yr adeg hon o'r flwyddyn ond ambell sgwarnog a chudyll a barcud coch i gadw cwmpeini ac un neu ddau o fwncathod. Mae braidd gormod o'r rhain (bwncathod) o gwmpas a chigfrain hefyd. Cerdded i lawr Ffridd Llech a Blaen Eidda'n dod i'r golwg drachefn. Buasai'n braf gweld mwg y mawn yn dod drwy'r corn simne unwaith eto, ond go brin debyg. Af yno eto cyn bo hir, mae fel Mecca i mi rhyw fodd ac mae'n braf cael dwyn atgofion yn y byd cythryblus yma heddiw.

* * *

Norman, Ysgwyfrith wedi clywed a gweld cyflafan y dydd o'r blaen. Yr hebog tramor wedi trawo cylfinir a'r ddau yn disgyn i'r ddaear; ond ei gymar a brain yn dod o gwmpas yn swnllyd a'r hebog yn cael ei ddychryn hwyrach, ac yn hedfan i ffwrdd. Do, bu'r gylfinir yn dra ffodus ac mewn ychydig daeth ato'i hun i ganu 'ei ffliwt hyfrydlais uwch y rhos' unwaith eto. Byddaf yn hoff iawn o glywed am ryw ddigwyddiadau tebyg gan eu bod yn dangos bod gan bobl ddiddordeb ym myd natur, a byddaf wastad yn ceisio'i drosglwyddo i'r plant ifanc yma. Mae o mor bwysig fod yr hedyn yn cael ei blannu ynddynt yn y dechrau un.

Y plant yn dod â chyw aderyn du (mwyalchen) i mi heno a minnau'n eu cystwyo braidd; peidiwch byth â chymryd cyw o'i gynefin; mae wedi gadael y nyth ond heb ddysgu hedfan yn iawn, ac mae ei rieni'n siŵr o'i ganfod i'w fwydo!

* * *

Ymweld â rhan uchaf Cwm Eidda wedyn ar brynhawn brafiach, llaith. Y gog yn canu uwch fy mhen tua Bwlch Ewigod a'r blodau bychain rhwng y grug a'r ffridd felen ac i fyny am Dŵr Gwyn (nad ydyw'n bodoli mwy gwaetha'r modd!) yn doraeth dan draed. Y llaethlys o bob lliw o wyn i las gwan i las tywyll ac i binc gwan i borffor. Digon o ryfeddod. Y fioled felen (y mynydd) yn ei blodau a chnau daear gwynion o'i chwmpas ymhob man. Mae yna gyfoeth o hyd mewn mannau anghysbell, a gobeithio na fydd gormod o'r cerddwyr â hawl i dramwy yn amharu ar y tirlun gwyllt ac yn gwylio lle rhoent eu traed.

Blodyn Ceg Nain
Monkey-flower *Mimulus guttatus*

Llafn y Bladur
Bog Asphodel
Narthecium ossifragum

Chwys yr Haul
Sundew
Drosera rotundifolia

Roedd mwy o flas ar fyw
    A deufwy gwyrddach oedd y dail
    Pan oedd y ddaear yn ieuengach.

A dyna pam y chwiliaf am y Cwm
    Tu draw i'r cymoedd,
    Am Gwm Tawelwch!

Ac mae Cwm Eidda, yn enwedig y rhan uchaf ohono, yn nes iddo nac unman arall am wn i. Roedd yna ysgyfarnog yn eistedd yn braf ar y lawnt o flaen hen dŷ Blaen Eidda Uchaf a'r bwncath yn nythu yn y coed a'r dylluan hefyd. Roedd yna sgwarnog yr ochr draw i'r afon yma o flaen y tŷ y nos o'r blaen yng nghanol y pentre. Maent wedi bod yn eithriadol o brin am ryw reswm ond yn ddiweddar maent wedi cynyddu a gobeithio y pery hi felly. Mae'n anifail cyfrin iawn a llawer o chwedloniaeth yn perthyn iddi, a llyfr (nas gallwch ei roi i lawr) Bethan Gwanas wedi rhoi rhyw olwg arall ar y geinach hefyd!

* * *

Maent yn dweud fod yr ysgyfarnog yn prinhau. Fe welais deulu o bedair ohonynt y noson o'r blaen ar y ffordd a chefais ddigon o amser i ostwng golau'r car a'u gwylio yn chwilio am ddihangfa i'r cae. Roeddwn yn falch o hynny, mae'n gas gen i ladd y geinach, hwyrach am eu bod yn llefain fel babi, ac rwyn siŵr hefyd na faddeuai 'Santes Melangell' fyth i mi – a buasai hynny yn ofid mawr i mi.

Byddaf yn ceisio 'ngore i osgoi pob aderyn ac anifail, heblaw hwyrach yr hen wiwer lwyd, anifail sy' dda i ddim ond i ddistrywio nythod adar mân a mawr. Ond beth sy' i ddisgwyl o'r America ynte ond wiwerod llwyd, minc a 'big Macs' a 'byrgyrs' . . . Maent yn dweud fod cig y wiwer lwyd yn flasus iawn. Mae'n rhyw ffasiwn rŵan i ddweud fod yr anifail yma (fel sgwarnog) yn prinhau ac adar fel yr ehedydd a'r fronfraith hefyd, a gallwch weld yn ffenestr eich dychymyg rhyw ddyn bach pwysig y tu ôl i'w ddesg yn meddwl efo fo'i hun – 'Be ga'i ddweud sy'n prinhau yr wythnos yma', er mwyn cael rhyw stori fawr yn y papur newydd, fel sydd wedi bod dros y blynyddoedd diweddaf yma am y pry' llwyd neu'r mochyn daear. Ond mi gredaf i fod mwy o foch daear hyd y wlad yma heddiw na fu ers amser maith iawn –

Câr y fronfraith roddi cerdd
Mewn coedwig werdd o dderi

Lloerlys
Moonwort *Botrychium lunaria*

Cronnell
Globeflower
Trollius europaeus

Melyn y Gors
Marsh-marigold *Caltha palustris*

Hesgen Welwlas
Pale sedge
Carex pallescens

Hesgen Rafunog Fwyaf
Greater Tussock-sedge
Carex paniculata

Câr y geinach redyn glân
Y marian a'r mieri.

Mae hynny'n dod â ni at helynt yr hen Siôn Blewyn Coch, sydd yn cael ei drin a'i drafod o gefn gwlad i goridorau San Steffan. Doedd yna ddim gwrthwynebu hela o gwbwl inni gofio flynyddoedd yn ôl, am fod hela yn reddf gynhenid ym mhawb, ac roedd y cydbwysedd ym myd natur yn well yr amser hynny nac y mae o rŵan. Roedd y ciperiaid yn gwneud cyfraniad at hynny ac roedd mwy o fermin, cwningod, gwencwn, ffwlbart a bele'r coed hefyd, ac rwy'n siŵr mwy o frithyllod yn ein hafonydd. Wrth gwrs bod rhaid cadw nifer y cadnoaid i lawr, a'r ffordd orau i wneud hynny yw gyda chŵn a gynnau fel y gwneid y ffordd yma, ac nid fel mae'r 'crachach' ar gefn eu ceffylau yn ei wneud.

Roedd y ciperiaid ers talwm ymysg y naturiaethwyr gorau, a braint ac ysgol brofiad ardderchog oedd cael bod yn eu cwmni. Roeddent yn sylwi ar bob agwedd o fyd natur yn eu gwaith bob dydd, ie, ac yn gadael ambell i dorlwyth o genawon i fagu'r flwyddyn ganlynol.

Roedd I.D. Hooson wedi gweld hi ers talwm yn toedd?

Rwyt yn ysbeiliwr heb dy fath
Pa beth yw deddfau dyn i ti?
Ni wn a dorraist ddeddfau'r Un
A blannodd reddf dy natur di,
Ond gwn na gei, ffoadur chwim,
Gan ddyn na chŵn drugaredd ddim!

* * *

Coffa da am y diweddar, gwaetha'r modd, D.O. Jones, Tŷ Ucha. Dwi'n cofio bod yno rhyw brynhawn a gofyn iddo am englyn i Lyn Conwy a Serw, a chael tri i Lyn Conwy ac un i Lyn Serw. Un felly oedd o yn llawn diddordeb i'r diwedd. Roedd gen i barch mawr iddo fel cyfaill a naturiaethwr arbennig, yn ymhyfrydu yn y toraeth o flodau prin yn ei weirgloddiau, ac yn eu hadnabod wrth eu henwau Cymraeg, Saesneg a Lladin. Dyna fyddai'r sgwrs bob amser: 'Wyt ti wedi gweld y wennol?' neu 'glywed y gog' neu 'gweld cornchwiglen'? Pob gwanwyn byddai'n ymhyfrydu yn y toraeth o friallu gwyllt oedd yn ymddangos hyd ochrau'r ffordd o gwmpas Tŷ Ucha ac yn dotio at y gweirgloddiau a'u tegeirianau prin, ond yn dotio fwy-fwy bob blwyddyn at ei Gwm Eidda annwyl. Mae'r blodau yn dal i dyfu a hir y parhaent felly. Gresyn a chwithdod mawr i mi fod Dei wedi'n gadael, ond yn Tŷ Ucha, wrth gwrs,

Iâr Fach y Ffridd
Small Heath *Coenonympha pamphilus*

Britheg berlog Fach
Small Pearl bordered Fritillary
Boloria selene

Iâr Fach Dramor
Painted Lady *Cynthia cardui*

Gwibiwr Mawr
Large Skipper *Ochlodes venata*

Iâr Fach y Fagwyr
Wall Brown *Lasiommata megera*

Adain Garpiog
Comma *Polygonia c-album*

mae'r chwithdod mwya. Cofio mynd â Chymdeithas Edward Llwyd o amgylch y cwm a D.O. yn disgwyl amdanom gydag englyn:

I fro'r meillion a'r gronnell – i'r comin
A'r cymoedd anghysbell;
Edward Llwyd a gwyd o'i gell
Fintai i wisgo'i fantell.

D.O. Jones

* * *

Dyma ni yng nghanol 'drysni blodau' Gorffennaf Eifion Wyn, er bod rhai i ddod eto fel y 'clefryn' a'r 'wialen aur'. Wedi bod yng ngweirgloddiau John Tŷ Ucha yng Nghwm Eidda yn gweld yr amrywiol degeirianau a sioe dda ohonynt hefyd, ond siomedig braidd na welais i ond un tegeirian llydan wyrdd (melyn) y *'Butterfly Orchid'* a ffaelu canfod y geineirian *(twayblade)*. Gweld amryw o heboglys y gors a phrin iawn oedd yr ysgallen fwyth. Un yn unig â blodyn arno ac roedd hwnnw wedi ei dorri ffwrdd, gan y gwynt, hwyrach! Do, gwelais ambell i frithyll bach gwyllt oedd yn dwyn i'm cof pan oeddwn yn f'arddegau i mi ddal brithyll rhyw hanner pwys nad anghofia'i mohono byth.

Roedd lliwiau a'r ysmotiau coch harddaf arno, a rhyw lesni ynddo hefyd. Byddem yn sgota maglau bryd hynny. Roedd yn grefft ar ei phen ei hun. Dwyn maglau gwningen oddi ar y cipar a'u gwneud yn feinach, ond rhyw dair wifren felen ac yna chwilio tan y cerrig a chanfod brithyll a gweithio'r faglen dros ei ben a thu ôl i esgyll a phlwc sydyn, a chael oriau o bleser a brithyll i swper.

* * *

Bûm yn crwydro'r bore yma, bore Sul tawel braf ar ôl y glawogydd trymion; cerdded o ben Cefn Dylasau am ffridd Dylasau Isaf i fyny drwy'r corsdir i gyfeiriad yr Hwylfa. Sylwi ar flodau'r gors oedd wedi rhedeg i had, sef llafn y bladur *(bog asphodel)*, math o degeirian fechan felen sydd yn blodeuo ym mis Gorffennaf ac yn tyfu mewn rhostir fawnog; yn fechan a hardd yn ei blodau melyn, ac yn oren bron wedi aeddfedu. Yr enw Lladin yw *Narthecium ossifragum* ac ystyr ossifragum yw 'esgyrn brau', ond mae gwartheg a defaid yn cael mwy o fineralau yn eu bwyd heddiw nag oeddent yn gael flynyddoedd yn ôl mae'n siŵr. Planhigion diddorol arall a welais yno oedd cwrlid neu helygen Fair, ac enw Cymraeg arall arni yw myrtwydd y gors, *bog myrtle* yn Saesneg –

Bara Ysgyfarnog
Quaking Grass *Briza media*

Pys y Lladron Pys y Llygod Bach
Wood Bitter-vetch *Vicia orobus*

Bysedd Cochion
Foxglove *Digitalis purpurea*

Cribell felen
Yellow Rattle *Rhinanthus minor*

planhigyn heb fod yn gyffredin iawn yn ein hardal ni ond yn bur niferus ar ffridd Dylasau, yn llawer mwy cyffredin ar wastadedd llawr plwyf Trawsfynydd. Mae'n debyg i helygen fechan, rhyw ddwy droedfedd o daldra ac yn bersawrus iawn. Byddai pobol, flynyddoedd yn ôl yn ei roi yn y gwely i gadw chwain i ffwrdd, hwyrach mae dyna'r rheswm am yr enw 'cwrlid'.

Ffridd Dylasau Isaf

Cwm Eidda

2.
Cymoedd a Dyffrynnoedd

Es am dro ar hyd afon Pentre i gyfeiriad Bron Cadnant ychydig cyn yr eira ac roedd tair bronwen y dŵr *(dipper)*, crëyr glas a dwy iâr ddŵr yno. Dwi heb weld iâr ddŵr yma ers talwm. Roedd pawb yn taflu sbâr bwyd a pharion ac yn y blaen i'r afon ers talwm ac roedd yr ieir dŵr yn dod i'r ardd yn aml ac roedd mwy o bysgod yn yr afon hefyd. Ta waeth, mae rhyw ddau gant o eogiaid wedi pasio drwy'r safle yn Rhaeadr Conwy ac mae'n siŵr bod rhai wedi claddu a bwrw eu hwyau i'r gro bras hyd yr afon, yn enwedig yn afon Pentrefoelas.

* * *

Cefais o hyd i un eog tua 9 i 10 pwys wedi ei fwyta gan ddyfrgi, neu lwynog hwyrach. Ceiliog oedd o a'r bachyn o flaen ei ên isaf yn sefyll allan yn blaen. Mae'n fwy na thebyg ei fod bron wedi marw ar ôl arllwys ei laeth dros wyau'r fenyw. *'Spent fish'* chwedl y Sais.

* * *

Y tymor pysgota brithyll hefyd bellach wedi dod i ben, ac roedd rhaid mynd i ffarwelio dros dro â'r brithyll gwyllt yn yr afon, a dal un deubwys hefyd! Slaff o sgodyn o hen frîd yr afon yma a'i fol melyn a'r ysmotiau coch ar hyd ei ochr. Roedd yn hardd eithriadol, a bu bron i mi ei roi yn ôl, ond ail-feddwl gan fod brithyll y maint yma yn bwyta pysgod llai nag ef ei hun. Choeliech chi ddim beth oedd yn ei fol – llygoden fach, rhyw bedair modfedd o hyd! Llug bach y dŵr oedd hon mae'n siŵr gen i, ac fe wnaeth bryd reit dda i frithyll deubwys.

* * *

Aeth Awst heibio a'i dri neu bedwar llif gydag o; rhai bychain yn wir ond, do fo gawsom bedwar. Fedra'i yn fy myw gofio Awst heb ei dri lli! Dŵr da i bysgota yw lli Awst, yn enwedig pan fo'r haul arno. Roedd llif bach gwerth chweil tua diwedd Awst ac fe euthum i fyny i ben uchaf Cwm Eidda hyd at Blaen Eidda Uchaf a 'ngenwair efo mi a dechrau pysgota a thaflu'r pry genwair i'r dŵr, dim ond i brofi i mi fy hun bod yna bysgod yn Eidda fechan o hyd.

Terfyn cae hynafol Dylasau Isaf

Lôn wledig flodeuog yng Nghwm Eidda

Cerdded i lawr yr afon yn araf ac aros weithiau ar graig wrth lan y dŵr a theimlo'r brithyll gwyllt yn plwcian ar y bachyn ond methu'n glir a'i ddal. Sylwi wedyn ar sypiau porffor o flodau'r grug a melyn y 'wialen aur', a glas y clefryn *sheep's bit scabious*. Blodau diwedd haf i gyd yntê, yn ein llonni ni wrth ffarwelio.

Onid blodau eraill sydd
Eto 'nghadw ar y mynydd.

Pysgota ychydig eto a dal un brithyll gwyllt o'r diwedd er iddo ddod yn rhydd oddi ar y bachyn a disgyn ar y borfa a'i fron yn felyn a smotiau coch ar ei hyd. Ia, pysgodyn hardd iawn tua saith modfedd o hyd ac yn dew, braf ond fedrwn i mo'i gadw. Ei roi yn ôl yn y pwll yn dringar fu'i hanes o, a'i weld yn nofio'n braf o'r golwg, a meddwl pa sawl canrif mae teulu hwn wedi nofio hen Eidda fechan, ac am ba hyd y bydd ei epil o yma eto. Mae hynny i fyny'n hollol i ni a sut yr ydym ni yn edrych ar ôl yr hen ddaear yma. Gwefr yn wir ar brynhawn braf o Awst a gweddi pysgotwr Cynan yn dod i'r cof yn syth:

O caniatâ bysgota im hyd angau, f'Arglwydd Dduw
Ac wedi'r tafliad olaf oll, fy ngwylaidd weddi yw:
Pan godir finnau yn dy rwyd i'm dwyn i'r lan o'r lli
Fy nghyfrif trwy dy ras yn werth i'm cadw gennyt Ti.

Ydi, mae Cwm Eidda wedi rhoi gwefr ar ôl gwefr i mi erioed, ac wedi dal y brithyll bach bol melyn canfyddais farch redynen y mynydd y *lemon scented fern*, sydd i'w chael yn yr ucheldir ac i'w chanfod hefyd yng Nghwm Gylchedd yn bur uchel i fyny.

* * *

Daeth gwraig o Lanfihangel Glyn Myfyr ar y ffôn y dydd o'r blaen. Ei mab yn dal tyrchod daear â thrapiau yn y ffordd draddodiadol a daliodd rhyw anifail nas gwyddai beth oedd, ond ei fod yn rhyw fath o lygoden. 'Wel, dowch â fo draw,' meddwn innau; ac fe ddaethant â'r anghenfil bychan mewn bag plastig yn 'gelain gegoer'. Wel i chi llygoden ddŵr a ddaliwyd mewn cae sych ymhell o afon na ffos o ran hynny. Beth yn y byd oedd llygoden ddŵr *('water vole')* yn ei wneud mewn twnnel twrch daear? Ymysg y llafrwyn a'r tyfiant hyd lan afonydd y cewch olwg ar yr anifail bach prysur yma a chewch ganfod tyrrau bychain o'r bywyn gwyn 'pith' sef canol y frwynen yma ac acw lle mae wedi bod yn bwyta. Mae'n

Trawsnant

Cwm Eidda

nofiwr da ac yn rhyw 8½ modfedd o hyd fwy neu lai gan gynnwys ei gynffon. Mae'n byw mewn daearau bychain yn y ddaear a mynedfa i'w gartref tan y dŵr a thwll dianc ar y ddaear. *Arvicola amphibius* yw ei enw Lladin ond mae yna un arall yn Ewrop sy'n byw yn hollol ar y tir sef *Arvicola terrestris* ond yn brinnach o dipyn ac nid wyf yn hollol siŵr a ydynt ym Mhrydain. Felly efallai inni ganfod rhywbeth eithriadol o brin o gyffiniau Llanfihangel. Wrth basio, mae gwarchod llym ar y llygoden ddŵr ac mae'n drosedd ei lladd; ond arno fo oedd y bai am fynd i fusnesu mewn twnnel twrch daear; a hefyd mae gan y *terrestris* flas am bryfed genwair ac yn hoff o dwnelu!

* * *

Ym mis Hydref clywsom i Merêd Hafod Ifan weld dau 'alarch' ar Lyn Serw pan fu'n hel defaid ar y Migneint. Nid yw hyn yn anghyffredin gan i mi ac eraill weld alarch neu bâr o elyrch ar Lyn Conwy a'r Gamallt cyn heddiw. Mwy na thebyg i mi mai elyrch dof, y *'mute swan,'* oedd y rhain – hwyrach o'r Cob ger Porthmadog wedi dod am y Migneint ar eu hynt. Rhaid i chwi gofio mai rhyw cwta ddeg milltir yn ôl ehediad brân (neu alarch!) yw'r Cob o'r mynydd. Mae'r alarch dof sef y *'mute swan'* â'i wddf fel tro cryman ond mae'r alarch gwyllt *(whooper swan)* yn cario'i wddf yn syth; mae pig yr alarch dof yn oren a du yn ei fôn tra bod blaen pig yr alarch gwyllt yn ddu. Mae'r alarch a welwn ar y Cob ac ar afon Conwy ger Llanrwst hefo ni drwy'r flwyddyn ond gaeafu gyda ni wna'r alarch gwyllt a'r alarch Bewick hefyd. Dychwelyd yn ôl i'r gogledd pell i fagu teulu a wna'r rhain. Mae'r Bewick wedi'i enwi ar ôl Thomas Bewick y naturiaethwr o'r bedwaredd ganrif ar bymtheg ac mae gennyf lyfr o'i waith wedi ei argraffu yn 1816 – *The History of British Birds,* adar y dŵr gan fwyaf.

Felly, mae'n fwy na thebyg mai pâr o elyrch dof oedd y rhain sydd weithiau'n symud o le i le. Mae'n aderyn hirhoedlog iawn a rhai o'r elyrch yn enwedig y dof – fyw yn hen, hen iawn, tuag at ganrif medd rhai; mwy na hynny meddai Thomas Bewick. Mae'r alarch gwyllt yn tueddu i fod yn llai aderyn na'r dof. Gall yr alarch dof bwyso tua phum pwys ar hugain ac maent yn cael eu cyfri'n adar 'brenhinol,' â gwarchod llym arnynt.

Herodr gwyn y llyn llonydd; – ei nefoedd
Yw nofio drwy'r hirddydd,
A huno dan y glennydd
Ar fin y dŵr derfyn dydd.

Tilsli

Cudyll coch

Cyw tylluan wen

Gwalch glas

Gwalch Marth
(Goshawk)

Hebog tramor

Wyau Gwalch Balch

* * *

Fe ddaeth yr eira yn ddistaw ar y nos Fercher, yn drwch oddeutu saith modfedd yma; a hwnnw yn ysgafn a sych. Tasa hi wedi codi'n wynt mi fuasai'n heth go iawn. Buasai'r wlad gyfan ar stop a phanic ymhob man. Tasa hanner pobol y cyfryngau yma wedi gweld 1947 a 1963, buasai ganddynt esgus i banicio. Ond fe oroeson ni'r gaeafau hynny yn iawn hefo llai o adnoddau o lawer na sydd gennym heddiw.

Pan fydd yr hin yn troi'n galed bydd fy meddwl yn crwydro ar ei union at fywyd gwyllt a byd natur, ac roedd y tymheredd i lawr ambell noson yn dipyn is na'r rhewbwynt; tua 12° i 14° i fyny yma. Doedd rhyw bedwar diwrnod caled fel hyn ddim yn gwneud fawr o wahaniaeth ond pan mae'r ddaear dan glo dros wythnos neu ddwy, mae hi'n mynd yn anodd ar rai adar, fel y dylluan wen a'r frech hefyd sydd yn dibynnu'n hollol bron ar ddal llygod, a'r eira wedi gorchuddio y ddaear i gyd ond o dan y pinwydd yn y fforest. Ond does dim llawer o lygod fan honno. Do, mi fûm yn cerdded milltiroedd dros y Dolig i Gwm Gylchedd a'r Migneint, heibio ambell i hen annedd gwag yma ac acw a gweld ambell i bâr o'r tylluanod hardd yma sydd wedi magu aml i nythiad dros y blynyddoedd. Mae hi'n bwysig eithriadol (gen i beth bynnag) fod yr hen furddynnod yma yn cael eu cadw mewn cywair gweddol a'u toau yn cael eu cymhennu weithiau er mwyn y bywyd gwyllt sydd yn cael noddfa ynddynt.

Roedd yr hen afon yma wedi rhewi drosti mewn rhyw ddwy neu dair noson; peth pur ddiarth ers rhai blynyddoedd. Mae'r gaeafau wedi bod mor dyner yn ddiweddar. Roedd Llyn Conwy a Llyn Serw hefyd wedi rhewi drostynt. Er bod yna rhyw ddarn pur fawr yn Llyn Conwy yn ei ganol pell na chofiaf erioed ei weld wedi rhewi; mae rhyw dwll yn ei ganol sydd yn wastad yn glir o rew.

At y trochwr bach neu fronwen y dŵr *(dipper)* y bydd fy meddwl yn troi pan rewa'r afon yma drosti gan fod hwn yn dibynnu yn hollol bron o hel ei fwyd tan y tonnau. Wedi i'r rhew glirio gwelais ef yn ôl ar hyd glan yr afon yn chwilio am bryfetach dan y dŵr. Yr un ydi stori glas y dorlan wrth gwrs yntê, a byddwn yn ei weld ar Llyn Traws bob gaeaf yn cael ei wala a'i weddill o bysgod bach (niwcliar) yn y fan honno.

* * *

Afon Conwy – islaw pont Rhydlanfair

Afon Conwy – Dylasau Isaf

Afon Conwy – Dôl Bryniau Defaid

Bûm am dro efo Pierino Algieri rhyw brynhawn yn ei weld yn bwydo'r eogiaid bychain yn y fagwrfa, y ddau lyn sydd ganddynt ar gyrion Hiraethog, ac i bysgotwr roedd yn wefr gweld heidiau o eogiaid bychain i fyny i rhyw 6-7 modfedd yn cynhyrfu'r dyfroedd wrth ddod am eu bwyd. Dau lyn wedi'u gorchuddio gan rwyd blastig gref; ond yn un llyn roedd pysgotwr mwy cyfrwys na myfi wedi bod yno a chnoi twll neu ddau drwy'r rhwyd a gwneud ei ffordd i mewn i'r dŵr ac mae'n debyg wedi cael ei wala o'r eogiaid gan iddo adael ei garthion *(spraint)* ar lan y llyn. Pierino'n poeni faint oedd wedi mynd a minnau'n trio ngorau i gydymdeimlo a chuddio fy llawenydd orau medrwn o ganfod bod y dyfrgi bach yn ôl yn ei gynefin. Mae hyn, wrth gwrs, yn dangos fod Asiantaeth yr Amgylchedd yn gwneud gwaith ardderchog o buro'n hafonydd. Newydd, heb fod mor dda, yw fod y minc wedi cyrraedd yma gan i un gael ei ddal i fyny yma'n ddiweddar, a'r peth olaf sydd gennym ei angen ar unrhyw afon yw'r anifail bychan milain yma.

Anifail gwych am nofio – yw'r ci dŵr
O'r cae daw 'rôl crwydro;
Drwy ewyn dŵr y naid o,
Yn y dŵr y myn dario.

* * *

Eto, yn y gro tan y tonnau mae cyffro pan ddaw'r eogiaid i gladdu eu hwyau er sicrhau parhad eu hil hwythau. 'Cochiad y dail' fydden ni'n galw yr eogiaid yma ddaw i fwrw eu grawn i'r gro tua diwedd Tachwedd yma. Byddent yn dod i fyny afon Celyn i Gefn Gwyn ers talwm, cyn iddynt foddi Cwm Celyn a rhoi terfyn ar y broses naturiol yma o eiddo'r eog, oedd â'i gynefin cynhenid ym merddwr yr hen Gefn Gwyn – dylanwad dyn eto a'i feddwl pwl yn difetha cynefin a thiriogaeth 'cochiad y dail'. Roedd digonedd o eogiaid a sewin yn ein hafonydd hyd y chwedegau, ond maent yn dirywio bob degawd er hynny, a llai a llai o bysgod yn dod bob blwyddyn i gladdu. Mae'r gwyddonwyr clyfar peniog gennym yn methu rhoi ateb pendant i'r cwestiwn pam. Maent wedi adeiladu ysgol eog yn rhaeadr afon Conwy ger pont Penmachno ac mae'n rhyw gyfrinach fawr faint o eogiaid sydd yn dod i fyny drwyddo. Rhyngoch chi a fi, dydw i ddim yn meddwl ei fod yn llwyddiant o gwbl, a chymer flynyddoedd maith cyn y gwelwn ei ffrwyth i fyny yma. Hyd yn hyn dim ond un eog rwyf wedi ei weld yma, tu isa i bont y llan 'ma. Mae eu llwybrau mudol yn cyfeirio'u hunain o orllewin Greenland i barthau Prydain i gyd, yn enwedig afonydd yr Alban, lle gwelais

Afon Conwy – Dôl Bryniau Defaid

Afon Conwy
– islaw Safle o Ddiddordeb Gwyddonol Arbennig Dolydd Afon Conwy

gannoedd o bysgod ar fin nos yn neidio yn y llyn oddi ar Black Bridge nid nepell o Beualy a Kiltarlity, ger Inverness – golygfa fythgofiadwy na welais mo'i thebyg yng Nghymru erioed. Buasai'n drychineb i ni golli brenin ein pysg, ond meddyliwch o ddifrif faint o eogiaid sydd eisiau eu dal i lenwi'r tuniau salmon yn Kwiks a Tescos ein gwlad!

* * *

Wedi bod yn dilyn afonydd yma yn fy nghynefin, ac mae cerdded afon yn hynod ddiddorol yn enwedig tua Mai a Mehefin.

Cychwyn y dydd o'r blaen am Lyn Serw, cerdded drwy'r grug a'r migwyn, a chyn cyrraedd y llyn a chanfod madfall gyffredin, werdd fwy na heb, a'i dal ar fy llaw. Cerddai'n araf hyd y mraich. Roedd haul mis Mawrth wedi ei hanner ddeffro.

Petasai'n Fehefin fuasai gen i ddim siawns i'w dal hyd yn oed, oherwydd yng ngwres yr haf maent yn eithriadol o chwim a sydyn. Rhois hi i lawr yn ôl a diflannodd yn araf i'r cawn i gysgu eto. Llawer iawn o grifft yn y gors ar hyd ochr y llyn a gweddillion cyrff llyffantod yma ac acw.

Mae afon Serw yn nadreddu i lawr y cwm ac yn troi'n ôl arni ei hun weithiau.

Tu draw i'r afon, ar gyfer Cefn Garw, mae olion hen chwarel lle buont, yn yr hen amser yn codi llechi at doi yr hen annedd.

Dal i'w dilyn heibio i Drawsnant, lle mae ffynnon fechan rhwng yr afon a'r tŷ a ddisychedodd y trigolion flynyddoedd yn ôl. Pellhau mae Serw o Foelfryn a Thrwyn Swch a disgyn yn gyflym o Rydlechog lle'r aiff i lawr am y Fedw, a throchi dros y creigiau'r ceunant dwfn nes dod i'w chymer ag afon Conwy yn ymyl Llyn Hafod Goch ar gyrion ceunant dyfnach arall a elwir yn Geunant Trwyn Swch. Cerdded i fyny hwnnw ac i'r Migneint lle daw amryw o nentydd o'r fawnog i afon Conwy. Dod allan o'r ceunant tua'r olch wartheg *(cattlegrid)* ac ymlaen at gorlan y cerrig gwynion ble golchid y defaid ers talwm ac ymlaen am bont William Owen a chroesi Nant y Brwyn ddaw o derfyn mynydd Blaen y Coed lle mae olion 'Stabal Foster', yr hen ben cipar ar droad y ganrif ddiwethaf 1889-1900. Dringo tua Tŷ Bach sydd yn ymyl y rhaeadr cyntaf ar afon Conwy ple byddai cneifwyr Blaen Eidda Isaf yn cael eu diwallu a'u digoni ar ddiwrnod prysur iawn, a byddwn yno yn laslanc yn 'tendio llinyn'! Dros yr afon mae'r Garreg Ddefod ble dôi'r bugeiliaid ynghyd ar ddechrau'r tymor i ofyn bendith ar eu praidd. Defod aeth i'w gwellt ers blynyddoedd bellach! Yna dod at y Bont ar Gonwy yn y pant tu draw i Dŷ Cipar a chanfod nyth bronwen y dŵr a ddefnyddiwyd y llynedd tan y bont. Cyn cyrraedd y Merddwr mae Bryn Hyrddod ar y chwith a'i gorlan gysgodol.

Llwyfan miwsig gwelleifiau – a geirwon
Hen gerrig yn gloddiau;
Nodded a charchar preiddiau
A chŵn wrth ei phyrth i'w chau.
Huw Sêl

Mynd heibio'r Merddwr ond yn ei ganol, cyrraedd cymer arall ble daw afon Ddu yn un ag afon Conwy ac yn y man dod at y bont neu'r 'fflat' gyntaf un ar Gonwy fechan, brin hanner milltir o'r llyn, sef tarddiad yr afon sy'n filltir o un pen i'r llall ac yn bedair o'i amgylch ac yn llyn o gant acer!

Ei ddŵr a roes drwy'r oesau – ddiododd
Ddiadell y bryniau;
Ei rin sydd heddiw'n parhau
I'n hannedd lawr i'r glannau!
D.O. Jones

Troi i'r gogledd-ddwyrain o Lyn Conwy am fynydd Hafnant, lle mae Llyn y Brain Gwynion a tharddiad y nant o'r un enw sef Hafnant. Daw honno i lawr rhwng ffriddoedd Blaen y Coed a Phennant ac ymuno ag afon Conwy rhwng Blaen y Coed a'r Fedw islaw ceunant dwfn arall a'i byllau duon, ple mae man y gallwch groesi os yw'r nerfau'n dal mewn lle o'r enw Cam Harri. Nis gwn yn iawn pwy oedd 'Harri' ond roedd ganddo nerfau o haearn ac mae'n rhaid ei fod yn gamwr arbennig. Yma ym mynydd y Graig mae tarddiad yr afon Eidda a red i lawr drwy'r cwm hardd i ymuno â Chonwy ym Mhadog.

Brithyllod braf ei afon – ac adar
Ei goedydd bythwyrddion;
Ei niwl a'i fwyn awelon
Wna ei rawd yn rhan o'm bron!

Ac yn ei gwm annwyl y treuliodd D.O. ei oes gyfan yn amaethu a barddoni!

Awn i fyny i ucheldir Cwm Gylchedd ac i ben rhediad dŵr ple mae'r afon Celyn fechan yn troi i lawr am Gwm Celyn heibio'r Arennig Fach a lle daw Nant y Fuddai i ymuno â Nant Adwy'r Llan gan ddolennu i lawr am Gerrigellgwm Uchaf ac ymuno â Chrymnant nes dod yn un ag afon Caletwr a dardd ym mhadell y Gylchedd ac ymuno â'i gilydd yng Ngherrigellgwm Isa, cartref bardd arall, sef Tomos Jones, Cerrigellgwm awdur *Pitar Puw a'i Berthnasau.* Disgyn afon Caletwr heibio Rhyd yr Ychen a'i geunant – ac o dan Pont Caletwr sy'n cario'r ffordd am Bentrefoelas, 'Pont Ffatri' fel ei gelwid yma ar lafar gwlad, ac yna drwy geunant dyfnach heibio i foncyn Plwm Pwdin Gwernhywel Bach gan ymuno â Chonwy ychydig y tu uchaf i Fryniau Defaid yn ymyl Cae Caled, Plas Uchaf.

Byddai Ysbyty yma yn 'seintwar' i ysbeilwyr a lladron rai canrifoedd yn ôl a

Caled fu ar lawer gŵr
Cyn cyrraedd Pont y Cletwr.

Ia, difyr yw dilyn afon ac mae llawer mwy o hanes iddynt. Mae llawer o fywyd gwyllt i'w gweld o'u glannau.

Ym miri hwyl ei marian – o wario
Cwrs euraid fy anian;
Gwnewch im fedd â'r hedd yn rhan
Fy Nghonwy fydd fy Nghannan!
Pernant

Titw Tomos Las

Cnocell Fraith Fwyaf

Trwyn Swch

Trawsnant

3.

Y Migneint a'r Mynydd-dir

Cerdded y Migneint eto fyth a sylwi ar y ffosydd sy'n rhedeg o'r dwyrain i gyfeiriad Llyn Serw. Mae amryw o'r rhain yn prysur gau yn naturiol gan fod y grug a'r cawn yn llenwi heb ddim ymyrraeth gan ddyn. Fel hyn mae'r Migneint er cyn cof ac fel hyn y gobeithiaf ei weld tra 'byddaf yma'.

Llyn Serw

Llyn hynod, llawn o flodau – yn lle braf
Brithyll brown y bryniau
Ni fu 'rioed 'run ddyfais frau
Na dyn o dan ei donnau.

D.O. Jones

Llyn Conwy

Os aethus yw'r gors weithiau – ac anial
Llyn Conwy o'i guddfan;
Yn ddi-ball a ddwg allan
O war y glog loywddŵr glân.

D.O. Jones

Mae chwithdod mawr ar ôl rhai o'n beirdd lleol ni fel D.O. a Huw Sêl; doedd ond rhaid gofyn a dôi englyn neu bennill drwy law neu drwy'r post yn fuan iawn a llawer o'r rhain heb weld golau dydd rwy'n sicr.

* * *

Yn y ceunant olaf cyn y Gylchedd mae nyth cigfran anferth ers blynyddoedd. Mae'r gigfran yn aderyn tiriogaethol iawn, os dyna'r gair, yn cadw i'r un nyth flwyddyn ar ôl blwyddyn ac yn paru am oes hefyd a honno'n oes pur faith i aderyn weithiau. Alla'i ddim sôn am Gylchedd heb sôn am ddarn arall o gywydd un o'n beirdd lleol eto, Einion Jones, Cerrigellgwm yn sôn am yr 'hen nain' a gollwyd yn storm eira '47 ar y Migneint.

Draw ar y Migneint ryw dro,
Hyd unig hafod yno,
Daeth yn dawel ymwelydd,

Cywion cigfran

Gwiber

Neidr Fraith

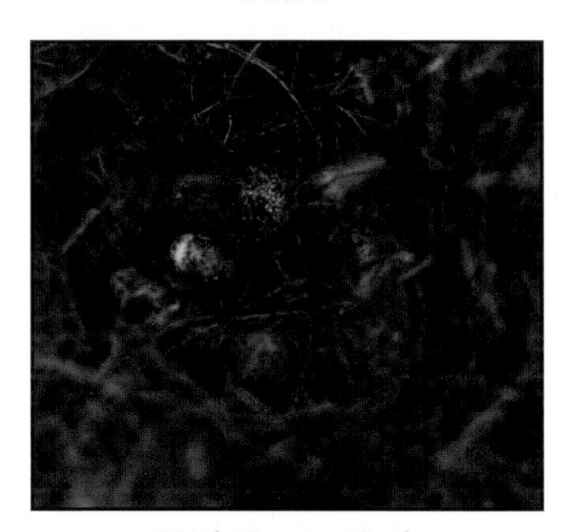

Nyth Grugiar Goch

Nyth cigfran ar y Migneint

Wyau Cigfran

A'i alwad ddwys, ryw lwyd ddydd,
Yno'n hen nain a hunodd,
Dros y ffin dines y ffodd.

Troi sled isel yn elor,
A'i dwyn ar honno o'i dôr,
Rhag garwedd yr aceri;
O'i phreswyl i'w harwyl hi;
O'i hafod i 'Sbyty Ifan,
O'r cwm i'w llwm dŷ'n y llan.
Einion Jones

Hen, hen hanes yr oes a fu pryd roedd byw'n arafach ac yn galetach o dipyn.

* * *

Pleser pur yw bod ar eich pen eich hun yn eistedd ar Glogwyn Uncorn neu wrth Gerrig Llwynogod yn synfyfyrio am oriau ac yn cael gwefr wrth feddwl faint o flynyddoedd mae afon fechan Serw wedi bod yn rhedeg yn igam-ogam i lawr y dyffryn, a phwy a'i henwodd i ddechrau. Ydi wir, mae bod yn y mannau hyfryd yma yn well na phregeth rwy'n ofni, ac yn falm i'r enaid.

* * *

Pysgotwr bach di-enwair a di-stŵr
Yn gwylio slaif y brithyll dan y dŵr;
Palfalus fysedd dan y garreg draw,
Gogleisiad bach, a'r brithyll yn ei law!
Glyn Hopkins

Cael sgwrs yn Eisteddfod Dyffryn Conwy gyda Gwilym Bryniog, a gofynnodd i mi oedd y grug yn ei flodau. Wel nac ydyn meddwn innau am y grug cyffredin y *(calluna vulgaris)* ond mae grug y mêl yn ei flodau hyd y Migneint, sef y *bell heather (erica cinerea)* a grug arall, y grug croesddail *(erica tetralix)* – mae hwn hefyd yn blodeuo ynghynt na'r grug cyffredin. Dywedodd Gwil wrtha'i wedyn ei fod wedi bwyta llus ym Mehefin eleni a'u bod yn aeddfed dduon *(vaccinium myrlillus)*. Ond mae'n siŵr gen i ei bod yn dipyn cynharach tua Maes y Pandy yna nac ar y Migneint!

Corn Carw
Stag's-horn Clubmoss
Lycopodium clavatum

Llysiau Ifan y Gors
Marsh St John's Wort
Hypericum elodes

Cnwpfwsogl y Cypreswydden
Alpine Clubmoss
Lycopodium alpinum

Corn Carw
Stag's-horn Clubmoss
Lycopodium clavatum

Cnwpfwsogl y Ffynidwydden
Fir Clubmoss *Lycopodium selago*

Ffa'r Gors
Bogbean *Menyanthes trifoliata*

A dyna pam eich bod tua Abergynolwyn yna'n cael y llus cynnar a blodau'r grug cyn mis Awst!

* * *

Cerdded llwybr Cefn Garw o'r 'ffordd goch' heibio i Gerrig Lladron ac ymlaen am Gerrig Llwynogod ac ar hyd Ceulan Wyddeles i gyfeiriad Llyn Serw ar y dde a'r lili felen hardd yn ei blodau *(nuphar lutea)* a sylwi ar y mursennod glas a choch *(damsel flies)* ac amryw was y neidr *(dragon fly)* yn esblygu o'r dyfnder ac yn hedfan o gwmpas y llyn i ddodwy ei wyau tan ddail y lili felen enfawr. Dal i droedio a thros y gamfa i Barc Cefn Garw lle byddai'r 'Hen Fugail', Hafod Ifan yn treulio fwyaf o'i amser yn gwylio'r praidd. 'Bugeilio' yntê sydd wedi diflannu o'n geirfa ni bellach. Troi i mewn i weld murlun o'r myharen enfawr ar y pared nas gwn pwy a'i gwnaeth. Cerdded i lawr yr hen lwybr neu'r ffordd drol bellach i gyfeiriad Trawsnant a dringo dros y gamfa haearn at rhyw geunant bychan ar afon Serw i ganfod a yw'r bwncath yn dal i nythu yno – a doedd o ddim eleni beth bynnag. Galw heibio Trawsnant rhag ofn bod y dylluan yno ond gwag oedd y fan honno hefyd.

Mynd i lawr o dan y tŷ, nid nepell o'r afon lle mae'r ffynnon, a'i glanhau o dyfiant eto eleni. Gwneud fy ffordd i lawr heibio un neu ddau o adfeilion; hen feudai hwyrach o'r oes a fu a chyrraedd at Moelfryn Serw sydd wedi ei ddymchwel bellach.

Roedd hwn yn dŷ pur fawr gyda'r hyn fyddem yn ei alw yn 'hip roof' a'r corn simne ar y canol. Mae yna larwydd *(larches)* hynafol o'i gwmpas a chwaneg o goed amrywiol wedi'u plannu. Yn un o'r llarwydd yma mae'r bwncath yn nythu'n flynyddol. Wedi dod dros erwau'r grug lle mae'r bod tinwen a'r ddylluan glustiog a'r gwalch bach yn magu teulu a mynd heibio'r llechwedd eithinog ar Foel Trwyn Swch a gwneud fy ffordd am yr isaf a'r agosaf o'r hen anheddau yma yng Nghwm Serw sef Trwyn Swch. Gallwch wedyn fynd am y Fedw a chroesi afon Serw yn Rhyd Lechog neu dal am geunant Trwyn Swch ac afon Conwy a chroesi'r ceunant nid nepell o Weirglodd y Telynorion a'r ogof sydd yn mynd i rhywle! Cyrraedd yn ôl i ffordd Ffestiniog ar Allt y Doctor. Taith amrywiol a diddorol mewn sawl ffordd o tua 5 i 6 milltir siŵr gen i ond yn werth pob cam.

Roedd yr hen anheddau hyn yn gartrefi diddos i deuluoedd ers talwm ac mae rhai o'u disgynyddion o gwmpas heddiw. Rydym yn hynod o ffodus o fod yn byw yn y fath le a chael mwynhau a chrwydro a chanfod rhyfeddodau natur. Mae'r tri chwm fel ei gilydd yn hudo rhywun yn ôl o hyd a'r pleser a'r wefr yn cael ei ail-gynnau bob tro yng Nghymoedd

Llus
Bilberry
Vaccinium myrtillus

Llygad Aeron
Cranberry
Vaccinium oxycoccus

Tafod y Gors
Butterwort
Pingvicula vulgaris

Llafn y Bladur
Bog Asphodel
Narthecium ossifragum

Eidda, Serw a'r Gylchedd.

Fel yng ngherdd yr hen gyfaill, John Lewis Jones, Gwernymynydd, gynt o Gapel Celyn, dyma fy hanes innau:

I'r hen gwm o hyd rwy'n gaeth
Erys yn gwm fy hiraeth.
Yn ei gaer fy nawdd a ges,
Yno mae gwraidd fy hanes
Yn heddwch ei lwch a'i laid –
Yn nhalar fy anwyliaid!

* * *

Os yw'r gwanwyn ar gerdded o gwmpas y llan ac ar lawr gwlad, mae'n stori arall i fyny ar y Migneint, sef trychineb arswydus yn 'erwau'r grug'. Oes, mae oddeutu dwy i dair mil o erwau wedi'u difrodi gan dân anferth yn ystod y sychdwr, bob cam o ffordd Pont yr Afon Gam am Gelyn drosodd i ffordd Ysbyty i Ffestiniog. Bu'r tân yn llosgi am ddau neu dri niwrnod a'r gwynt a'r sychdwr yn ei yrru'n drên. Roedd yn llosgi'n erbyn y gwynt hyd yn oed. Roeddwn yn sefyll ar boncyn Cerrig Llwynogod ac yn ei weld yn lledaenu'n gyflym am yr Arenig o Garnedd y Gors Gam ac am lwybr Cefn Garw ac o amgylch Llyn Serw (fy man arbennig) ac am Glogwyn Uncorn i fyny'n gyflym am Lyn Dywarchen a Cherrig yr Ieirch. Llanast uffernol! a digon â thorri calon naturiaethwr, coeliwch fi. Yr holl erwau, a'r holl fywyd gwyllt o ymlusgiaid a mamaliaid fel llygod ac adar hefyd a hyd yn oed gwyfynod fel yfwr y gwlith wedi colli eu cynefin yn gyfangwbl. Am ba hyd? Fe es i yno y nos o'r blaen, bythefnos wedi'r tân ac roedd y cawn a'r plu gweunydd yn dechrau adfer a thrwyno drwy'r mawndir, â'r glesni yn dod yn ôl. Roeddwn yn dwyn i gof wrth edrych ar y fflamau, awdl Dic Jones – un o'r amaethwyr prin sy'n deall y ddwy ochr, amaethyddiaeth a byd natur, ac yn gweddïo bron –

Tyrd, awel Erin i'r tir dolurus
I adfer hyder i fro ddifrodus;
Croesed y sianel y gawod felys
A etyl ofid y gwynt dolefus.

Oes, mae eisiau llosgi grug mewn cylchdro o saith mlynedd fel y dywed yr hen gipar William Foster yn ei ddyddiaduron ac mae'r Ymddiriedolaeth Genedlaethol wedi dechrau ar y gwaith drwy dorri erwau yma ac acw, ond nid oedd angen llosgi'r cyfan i gyd ar un tro. Bu

Y Gylchedd

Y Gamallt

Cefn Garw

tân tebyg, a mwy hwyrach, yn 1936 pan sefydlwyd y Parch William Pritchard yn weinidog a llwyth Bws Bod Ifan yn mynd i fyny i geisio'i ddiffodd. Gwreichion o'r trên stêm o Bala i Drawsfynydd achosodd y tân hwnnw. Beth achosodd hwn? Damwain? Ie, damwain fwriadol beryg!

* * *

Fuoch chi'n hel llus eleni tybed? Fe fu erthygl yn y *Daily Post* yn ddiweddar yn sôn am lus yn dda i'n golwg a byddent yn eu rhoi i beilotiaid adeg y rhyfel iddynt weld eu targedau'n well yn y nos, ac yn sôn am Douglas Bader o'r 'Dambusters'. Mae gennyf lyfr llysieuol, un Cymraeg ac un Saesneg hen iawn, sy'n sôn am rinweddau pob math o lysiau ac yn eu plith y coed llus bach duon. Mae posib gwneud gwirod ohonynt drwy roi rhyw ddwy lond llaw o lus mewn potel wag o win a'i llenwi â brandi; gadael iddi sefyll am rai misoedd, gora bo hwyaf, mae'n gwella fel yr heneiddia, 'fel hen win'!

* * *

Do, mi fûm yn crwydro dipyn o gwmpas y Migneint wedi'r Nadolig di-drydan! Cerddais i gyfeiriad yr Arenig Fach, a gweld ambell i 'ryfeddod prin' fel y carlwm nepell o hen dŷ Cefn Gwyn. Hwnnw'n glaerwyn ond am flaen ei gynffon ac yn hela'n brysur i fyny rhyw nant fechan. Roedd tua chanllath oddi wrthyf a dyma wneud rhyw sŵn gwichian hefo 'ngwefusau a throdd yn ôl yn fusnes i gyd a daeth o fewn rhyw bymtheg llath ataf cyn ei throi hi ar frys i gyfeiriad waliau saff yr hen dŷ. Canfod tylluan wen yn y fan honno wedi torri ei hadain rywsut. Rhyfedd yntê – fel pe tasai'r hen garlwm bychan wedi f'arwain yno. Mynd â hi adre a'i hanfon i Fangor, ond colli'r dydd wnaeth hi, gwaetha'r modd. Dyna hanes natur erioed, yn greulon ac yn glên hefyd, ac mae'n rhaid parchu natur bob amser, ac yn enwedig pan fyddwch allan yn cerdded yn y gaeaf.

Mae'r gwynt yn gallu bod yn ddychrynllyd o gryf ar le fel y Grib Goch neu Dryfan, a gall eich chwythu dros y dibyn yn hawdd iawn, a dyna ddamwain angheuol arall, hollol ddianghenraid yn aml iawn. Ydi, mae olion y gwynt yn ein fforestydd ac ar ein tai ar ôl y Nadolig, a'i effaith ar ein trydan yn gwneud pethau'n sobor o anhwylus ac yn amharu ar ein bywyd cyfforddus a chyfleus; ond mae'n rhaid meddwl am yr hogia sydd yn gorfod gweithio i gael ein trydan yn ôl mewn amgylchiadau hynod o beryglus.

Llyn Gamallt

Arennig Fach

> Y llew yn llarpio i'r llawr – y coedydd
> Nes codi eu priddlawr,
> Y chwalwr a'r malwr mawr
> Yn ei anian yn Ionawr.

Y diweddar Joseph Wyn Jones piau'r englyn allan o'i gasgliad ardderchog yn *Deg o'r Dyffryn*.

Ond i chi fod yn ofalus wrth gwrs, mae pleser a gwefr i'w gael o gerdded a dringo mynyddoedd, ond mae'n well gen i unigedd y Migneint a'r Gylchedd na bod yng nghanol y miloedd ar Eryri, a dim ond mewian ambell fwncath a chrawc y gigfran i'w glywed a gweld ehediad chwim yr hebog a gwylio'r barcud gosgeiddig yn hela hyd y bryniau.

> Ni cheisiwn bryffyrdd byd na thonnau'r môr,
> Roedd golud prinnaf Duw o gylch fy nôr,
> A chaffwn innau yng nghyni pob ryw awr
> Hedd yng nghadernid y mynyddoedd mawr.

Grug mynydd

Iâr Fach y Fawnog
Large Heath
Coenonympha tullia

Carreg Ddefod

Ffynnon Eidda – hen ffynnon y porthmyn ar y Migneint

Y Migneint a Llyn Serw o Gerrig Llwynogod

Y Gylchedd o Ben Rhiw Saint

Olion pont hynafol islaw Dylasau Isaf

Coed hynafol – Safle o Ddiddordeb Gwyddonol Arbennig Ffos Noddun

4.

Coedwigoedd a Chloddiau

Mae'n hydref, amser y cynaeafu ac yn amser hynod o ddifyr yn enwedig pan gawsom dymor mor doreithiog ag eleni. Mae'r mwyar a'r cnau mor niferus ac y'u gwelwyd erioed, yn enwedig cnau'r cyll gydag amryw byd o jobyn 4 a 5, ond cefais rai ag wyth o gnau arnynt, ac un â deg arno. Hoffwn glywed beth y'u gelwir mewn gwahanol ardaloedd. Jobyn y'u gelwir yma beth bynnag.

Rhoddwyd to o rudd tywyll
Ag aur coch hyd frigau'r cyll;
A'r dail oll fel euraid len
Ar ddyrys geinciau'r dderwen!

Mae pobol yn gofyn a fydd gaeaf caled wrth weld cymaint o aeron ar y ddraenen wen a'r griafolen a'r gelynnen hefyd, ond arwydd yw hynny ein bod ni wedi cael tymor da oedd yn siwtio i'r dim i gynhyrchu ffrwyth a had ydi o yntê!

Rwyf wedi cael y ffasiwn gnwd o afalau ac eirin eleni fel na chefais i erioed o'r blaen ac mae pawb yn y stryd yma yn bwyta afalau (organig) heb gael eu chwistrellu hefo dim byd ond glaw o'r nefoedd, â blas bendigedig arnynt.

Ba wyrth wir i'r berth eirin
A fu'n rhoi gwawr ddyfna'r gwin,
A rhudd liw gwaed ar ddail gwŷdd
Gwylltion drain y gelltydd?

Rwyf wedi rhoi afal coch i ambell i geffyl yma ac acw ac mae rheini i weld yn mwynhau'r ffrwyth aeddfed.

* * *

Mae'n amser i chi wneud gwin eirin tagu (neu eirin perthi), ffrwyth y ddraenen ddu. Y 'sloe gin' yntê, ac mae gen i beth yn barod wedi'i wneud yr adeg yma llynedd. Mae lliw coch bendigedig arno ac mae'n dew fel gwirod. Mae gofyn i'r eirin perthi fod yn or-aeddfed, os rhywbeth, ac yn sych pan y'u casglir. Ydi mae Hydref yn dymor diddorol yn tydi – mae'n

Boneddiges y Wig
Orange Tip
Anthocharis cardamines

Mwsglys
Moschatel
Adoxa moschatellina

Briallu
Primroses
Primula vulgaris

anodd iawn penderfynu pa un yw'r ffefryn. Mae i bob tymor ei rinweddau a'i arbenigrwydd ei hun.

Roeddwn yn sylwi eleni, wrth gasglu'r eirin perthi, fod yna lawer iawn o gen *(lichen)* yn tyfu'n drwch ar y drain, ac yn addurno'r ddraenen ddu yn nhrymder gaeaf. Mae'r cen cerrig yma'n tyfu'n doreithiog ar goed a rhai eraill ar gerrig neu greigiau, ac eraill fel clustiau'r ddaear yn tyfu hyd ochrau'r ffyrdd ar hen gloddiau. Byddai pobl ers talwm yn eu casglu i liwio gwlân cyn ei nyddu, mae'n siŵr gen i. Byddai'r wraig a drigai ym Mhont Eidda yn gwneud hyn ac yn cael lliwiau bendigedig o'r cen. Ysgrifennodd lyfryn bach *Lichens for Vegetable Dyeing*, Eileen Bolton. Mae gennyf gopi ohono wedi'i gael ganddi a dysgais lawer iawn am fotaneg a natur ganddi hi. Mae'r cen yn deulu pur gymhleth a rhai ohonynt yn brin eithriadol ond yr hyn maent yn ei ddangos inni lle bônt yn doreithiog yw fod yr aer a'r amgylchedd yn bur. Cen y corn carw sydd amlaf ar y ddraenen ddu. Yr enw Lladin *Evermia Prunastri* sef *prunas*, y goeden eirin.

Chwardd yn ei afiaith fel cawr mewn gwin
A'i fantell amdano fel enfys grin;
Casgl y crinddail wrth sŵn ei draed
I'r aelwyd aniddos ym murddun y coed.

Eifion Wyn

Dyna fel y bu hi yn ddiweddar yntê – rhyferthwy natur yn ei anterth a choed ynn a derw a sbriws henafol yn cwympo fel matsus. Ia, coed oedd wedi tyfu hwyrach am ganrif a rhagor yn cael eu dymchwel mewn noson o storm ar amrantiad. Roeddwn yn cyfri'r cylchoedd mewn sbriwsen ac roedd ymhell dros gant. Y dderwen, wrth gwrs, sy'n rhoi mwyaf o gynhaliaeth i fyd natur. Mae'r dderwen yn cynhyrchu ar gyfartaledd rhyw 90,000 o fes o un goeden pob blwyddyn ac mae adar fel sgrech y coed a'i gefndryd y brain yn cario ac yn claddu miloedd o fes ac wedyn yn dychwel i'w bwyta yn y gaeaf ac yn eu canfod hyd yn oed dan yr eira. Maent yn gallu cofio ymhle y claddasant y mes, sydd yn anhygoel.

Amser hel y moch i'w lladd fyddai'r adeg yma ers talwm a rheini wedi'u porthi ar y mes tan y deri a'u lladd i'w hongian ar y distiau. Dyna darddiad 'Hob y deri dando' ynte.

Gelwir y ddwy dderwen fwyaf cyffredin, yn *pendimeulate oak* a'r *sessile oak*, ac mae aml i foncyff o dderwen wedi'i godi o'r gors wrth ffosio hwyrach, a hwnnw'n ddu fel glo ac yn galed fel 'haearn Sbaen'.

Pidyn y Gog
Cuckoo-pint *Arum maculatum*

Mapgoll Glan y Dŵr
Water Avens *Geum rivale*

Gwengraith
Sanicle *Sanicula europaea*

Ysgallen fwyth
Melancholy thistle
Cirsiumheterophylum

Clychlys eiddewddail
Ivy leaved bell flower
Wahlen borgia

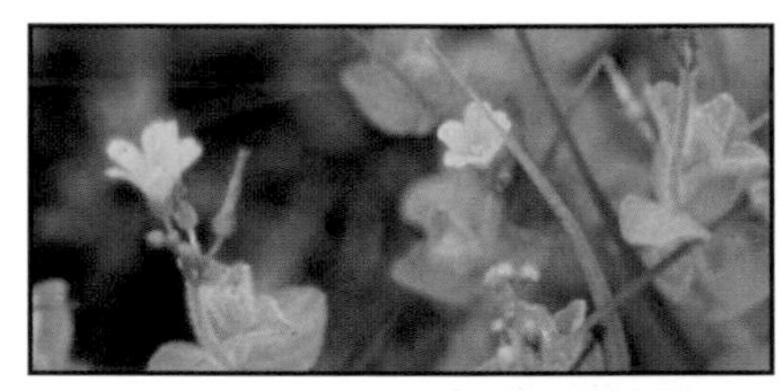

Llysiau Ifan
St John's Wort

Blodyn y Gwynt
Wood Anemone
Anemone nemorosa

O fynwent sur y fawnog – hen goedyn
A godwyd o'i driog:
I'm myfyr gwna lyfyr log
Awdl canrifoedd hirhoedlog.

Norman Closs

Y ffawydden *(beech)* wedyn sydd yn un o'm hoff goed, yn enwedig yn niwedd Hydref a Thachwedd cynnar. Dyma'r goeden sydd yn rhoi'r lliwiau crin bendigedig yr adeg hon o'r flwyddyn a phan mae heulwen Tachwedd yn tywynnu arnynt, maent yn hardd y tu hwnt.

Mae ambell i artist yn gwneud ei orau glas i efelychu lliwiau'r hydref ond mae gennyf ofn mae syrthio ar fin y ffordd maent yn ymyl perffeithrwydd y cread.

Mae'r ffawydden hefyd yn cynhyrchu ei ffrwyth sef cnau'r ffawydden neu'r *beech mast* yn Saesneg. Mae'r ffrwyth yma'n dod bob blwyddyn, ond ambell flwyddyn nid oes cnewyllyn yn y tair cneuen sydd o fewn y plisgyn. Eleni mae'r *beech mast* yn llawn ac yn disgyn ar y ffordd a'r ceir yn eu malu. Felly, gwelwch yr adar yn heidio i'w bwyta, megis asgell fraith *(chaffinch)* ac adar eraill o'r un teulu. Un o'r rhain yw'r pinc y mynydd *(brambling)* neu bronrhuddyn y mynydd, sydd yn un o'r adar mudol ddaw yma o'r gogledd pell i aeafu ac i fwydo ar gnau ffawydd. Daw yma yn yr hydref o'r Baltig a bwydo ar y sofl hefyd a dychwelyd yn ôl am Sgandinafia a Siberia tua Mawrth ac Ebrill. Dyna beth mae'r adar yma'n golli, a chornchwiglod hefyd, yw'r tir sofl yn yr hydref a'r gaeaf. Roedd hwn yn gaffaeliad mawr i adar o bob math; ac wrth gwrs dyna lle'r oedd y gornchwiglan yn nythu, ar y tir wedi'i lyfnu.

* * *

Hefin, Brynddraenan gynt, yn gofyn 'welaist ti fadjar coch rhywbryd?' Pry llwyd oedd ganddo dan sylw wrth gwrs, ac i ddweud y gwir toeddwn erioed wedi gweld un byw na marw ond yn gwybod amdanynt ac wedi gweld lluniau. Peth gweddol anghyffredin, iawn a dweud y gwir, ond mae'n digwydd fel y gallwch gael llwynog neu dwrch daear gwyn, ac hyd yn oed fwyalchen neu jac do gwyn. Rhyw *freak* ym myd natur. Yng nghyffiniau Nant-y-rhiw oedd hwn, wedi'i drawo gan gar fwy na thebyg, ond diolch am y sylw. Mae'n dweud yn llyfr Eseciel yn rhywle 'Mi a'th wisgais hefyd â gwaith edau a nodwydd, rhoddais i ti hefyd esgidiau o groen daearfoch!'

A rhyw ganrif neu ddwy yn ôl byddent yn eu bwyta hefyd!

Ken, mab Hefin Jones ddaeth ar y ffôn wedi bod ar ôl y cadno. Roedd

Evernia prunastri

Cefn Garw

yna golli ŵyn dybryd tua Phenmachno ac wrth iddo fynd drwy'r goedwig, dyma aderyn pur fawr, bron cymaint â bwncath, yn hedfan o dwll yn y ddaear ac roedd yn gofyn beth allasai fod. Pan aeth i edrych i'r twll, tua hyd braich i mewn, roedd nyth a phump o wyau gwynion. Wedi meddwl a chwilio, dod i benderfyniad mai un o ddwy dylluan oedd yno'n nythu. Y dylluan glustiog *(short eared owl)* sydd bob amser yn nythu ar lawr ac yn frown a'r un maint a bwncath fwy na heb ac i'w chael ar y Migneint ac o gwmpas pinwydd ifainc. Neu fe all fod y dylluan gorniog *(long eared owl)* sydd yn debycach o fod mewn coedwig gonwydd ac yn nythu yn eu brigau ond hefyd wedi'i chanfod yn nythu ar lawr. Mae'r glustiog yn hela liw dydd golau a'i phrif fwyd yw'r llygod bach sydd yn byw yn y cawn. Mae'r gorniog wedyn yn hela liw nos fel y rhelyw o'i theulu, ac fe ddeil hon lygod bach a mawr. Dim clustiau ond rhyw dusw o blu yn sticio i fyny o'r pen ac yn ei gwneud yn haws gwahaniaethu rhwng y ddwy. Mae'r gorniog ychydig yn llai .

* * *

Caiff y ffesant lonydd rŵan am dipyn o fisoedd i'w 'lordio' hi yn ei gôt wanwynol hardd fel y canodd R.Williams Parry:

> Oherwydd fod d'amryliw blu
> Fel hydref ar dy fynwes lefn,
> A phob goludog liw a fu
> Yn mynd a dyfod hyd dy gefn.

Mae degau ohonynt wedi bod yn slwtsh ar yr A5 eleni am fod ceir yn mynd yn rhy gyflym o ddim rheswm i fedru osgoi dim byd, boed o'n ddyn neu anifail. Buasai'r hen giperiad ers talwm wedi bod yn fwy gofalus i gadw eu hadar yn eu cynefin yr ochr arall i wal y plas ac roedd mwy o fwyd a cheirch naturiol i'w hadar yr adeg honno i'w cadw rhag crwydro.

Byddaf yn gweld y byddigions uchel ael o dros y ffin yn joli hoitioi a'u gynnau dan eu cesail a'u 'cŵn gynnau' wrth eu sodlau hyd y caeau yn cael ambell i geiliog oedd wedi dianc o Stad y Foelas. Mae hyn yn mynd â ni'n ôl i 'mhlentyndod braidd pan fyddai'r hen Lord Penrhyn yn dod i saethu ers talwm ac i aros i Dŷ Glan Conwy yn achlysurol. Minnau yn mynd am dro hefo Mam rhyw brynhawn ac yn cicio'r dail crin wrth gerdded yn y ffos a dod ar draws yr iâr ffesant dew newydd ei saethu a mynd â hi adre a'i phluo ac i'r popty â hi

Cywion gwenoliaid

Draenog

Llygoden goch

Madfall

Mochyn daear

Cyffylog

'yn rhost amheuthum ar ein bord!'

Mae hanes am ffermwr o Dy'n Llwyn, Pentrefoelas yn colli ei denantiaeth ar ôl cael ei ddal yn potsio ffesants, ac wedyn yn symud i Batagonia os wyf wedi cael y stori'n iawn.

Rhaid bod yn ofalus rhag iddi fynd yn debyg eto a chael ein gormesu gan fewnlifiad!

* * *

Ar brynhawn heulog braf ychydig yn ôl daeth llwyth o larwydd newydd eu llifio yn ôl i'r iard goed yn Dinas, ac fel y stopiodd y trelar, galwodd saer arnaf i weld 'pry lartsien' yn disgyn ar y pren ac yn dechrau tyllu i mewn iddo gyda'r ebill sydd dan ei fol. Difyr dros ben oedd ei wylio ac mor anhygoel fel y canfyddodd y coed mor sydyn. Mae arogl hyfryd ar larwydden newydd ei llifio wrth gwrs, a'r pwrpas oedd gwneud lle addas i ddodwy ei wyau er parhad yr hil. Pwrpas y saer wrth alw arnaf wrth gwrs oedd cael cymorth i ddadlwytho'r coed. Chwarae teg iddo, roedd hi'n ddiwrnod poeth!

* * *

Un cyw gafodd y barcud coch a'i gymar eleni; cafodd ei fodrwyo ar noson cyngerdd Eisteddfod Dyffryn Conwy. Es i ddim yno; does gen i ddim gormod o amynedd efo'r gwaith yma a fydda i ddim yn hoffi gweld y barcud a'i gymar yn hedfan ac yn crio'n boenus uwch ein pennau tra mae'r rhain yn estyn y cyw/cywion o'r nyth i'w modrwyo; byddaf yn mynd yn flin a gwrthnysig o'u gweld yn cymryd gormod o amser. Llonydd sydd gan fywyd gwyllt eisiau; yn tydyn nhw'n goroesi'n llawer gwell heb gymorth dyn a'i holl wybodaeth dybed?

* * *

Rydym yn ffodus yma i raddau helaeth gan nad oes llawer o goed conwydd yn gorchuddio'n dolydd a'n ffriddoedd ni. Mae Dyffryn Penmachno i lawr i Fetws-y-coed wedi ei orchuddio â'r coed duon da-i-ddim ond i wneud papur a Duw a ŵyr mae yna ormod o hwnnw'n cael ei gynhyrchu a'i ddefnyddio ymhob man. Ychydig iawn o gynhaliaeth gaiff bywyd gwyllt o'r goedwig gonwydd. Dim ond lloches i frain a phiod a llwynogod sydd yno, ac ychydig o'r groesbig os yw'r conwydd yn dwyn ffrwyth, a rhai dryw eurben (*goldcrest*).

Nyth y dryw

Bwncath

Wyau bwncath yn deor

Cywion bwncath

Cyw bwncath tua mis oed

Bu rhywun ers tro'n fforestu'r
Hen lethrau, a'i resi ffug
Yn ymlid catrodau y rhedyn praff
A chwalu clystyrau'r grug.

Un o'r planhigion mwyaf trafferthus sydd wedi'i gyflwyno o dramor i'r wlad yma erioed yw'r rhodedendron *(ponticum)*. Mae i'w weld hyd y llechwedd o'r Ganllwyd i Ddolgellau ac i lawr aber Mawddach ac wedyn yn Nyffryn Maentwrog a Beddgelert yn enwedig, a'i flodau piws digon deniadol. Ond! mae'n lladd popeth wrth iddo ymledu'n ddireolaeth ar draws gwlad, o ddyffryn i ddyffryn.

Wn i ddim pwy â'i cyflwynodd i'n gwlad yn 1763 ond daeth yn boblogaidd ar y stadau, fel addurn yn eu gerddi, a defnyddiwyd o fel gwraiddgyff *(rootstock)* i fathau eraill o'r un teulu. Aeth yn llwyr allan o bob rheolaeth a chymryd trosodd fel na thyf dim oddi tano nac o'i gwmpas, ac mae'n costio miliynau o bunnoedd i'r Parciau Cenedlaethol i geisio ei wared. Yr un stori sydd i 'jac y neidiwr', *Himalayan balsam,* teulu'r *busy lizzie* a'r *Japanese Kuctweed,* clymog yr Himalaya sydd yn peri poendod i Asiantaeth yr Amgylchedd. Mae planhigion fel hyn yn dod yma ac yn setlo i lawr a chymryd drosodd yn rhyfeddol o sydyn ar draws y wlad.

Yr un bron yw'r stori am y fforestydd duon yma ond bod y rhain wedi'u eu plannu'n fwriadol ac am elw mawr i'w perchennog sef y Comisiwn Coedwigaeth a'u tebyg. Wedi dwyn tiroedd amaeth da drwy bryniant gorfodol, maent wedi newid tirwedd a golygfeydd cefn gwlad yn llwyr.

Ond! mae pethau'n newid ac wedi bron i dri chwarter canrif, mae'r gwybodusion yn deffro ac yn dechrau eu torri wrth y miloedd yn enwedig yn yr Alban sef y Flow Country yn y gornel ogledd-ddwyreiniol tua Caithness, ac yn gadael i'r tirwedd mawnog oedd yn cynnal llawer iawn o fywyd gwyllt sef y *flora* a'r *fauna* fynd yn ôl i'w ffurf naturiol fel y bu am ganrifoedd lawer.

Y prif goed yn y catrodau duon yma yw'r binwydden Douglas, y *lodgepole pine* a'r *sitka spruce* sydd yn tyfu'n hynod o gyflym ac yn dod a gwell canlyniad i'w perchnogion na choed caled. Hefyd yn yr Alban mae yna ail-blannu'r hen Caledonian fforest gyda'r goeden gynhenid sef pinwydd yr Alban, *Scots pine*. Mae hon yn un o'm hoff goed, yn enwedig pan mae haul y bore neu'r machlud yn taro ar ei lliw oren hardd eithriadol; a'r llall yw'r larwydden, yr unig binwydden gollddail. Y larwydden Iwropeaidd, wrth gwrs, ac nid y *Japanese larch.*

Mae hi'n ddiddorol gweld fel mae'r tirlun yn dod yn ôl i'w ffurf naturiol wedi torri a chlirio'r pinwydd. Ar ôl y tywyllwch tan y coed, mae'r haul unwaith eto'n deffro'r had a'r paill yn y pridd a'r criafol a'r bedw cynhenid yn ailymddangos yn fuan. Mae natur wedi deffro'r had unwaith eto a fu yng nghwsg am yn hir dan gysgod y larts a'r pin.

Ddaw'r eurych byth mwy i'r mynydd
i feddwi a sgwandro'i rin;
daeth sobrwydd fel lleidr i hendref yr ŵyn
yng nghysgod y larts a'r pin!

Glyn Hopkins

Ty'n y Coed Uchaf